CUENTOS INFANTILES
© 2006 Editorial Sol 90, S.L.
Barcelona (España).
Todos los derechos reservados
ISBN: 978-84-9820-101-7
ISBN: 84-9820-101-2

Idea y concepción de la obra: **Editorial Sol 90, S.L**
Coordinación editorial: **Emilio López**
Adaptación literaria: **Alberto Szpunberg**
Ilustraciones: **Sergio Kern**
Diseño: **Jennifer Waddell**
Actividades didácticas: **Rosa Salvía**
Diagramación: **Teresa Roca**
Producción editorial: **Montse Martínez, Marisa Vivas, Xavier Dalfó**
Impresión: **RR Donnelley-Chile**

Hansel y Gretel

Hermanos Grimm

Ilustrado por Sergio Kern

En tiempos de maricastaña, vivían unos labriegos con sus dos hijos: el niño se llamaba Hansel y la niña, Gretel. Los labriegos eran muy pobres y, aunque trabajaban de sol a sol, casi no tenían para comer.

Una noche, creyendo que sus hijos dormían, los labriegos se abrazaron llorando.

–Sólo nos queda comida para un día más –se lamentaron–. No comeremos nosotros, así la ración de nuestros hijos será mayor.

Pero Hansel y Gretel aún no se habían dormido y escucharon todo.

–¡Pobres papás! Tenemos que hacer algo –dijo Gretel.

–Sí, pero no sé qué –le contestó Hansel–. Ahora duerme. Ya pensaré en algo...

Al amanecer, cuando el sol ya comenzaba a despuntar, Hansel sacudió a Gretel suavemente y le dijo en voz baja:

–Vístete, que nos vamos.

–¿Dónde? –preguntó Gretel.

–Al bosque –le contestó Hansel–, a buscar comida...

Apenas avanzaron entre los árboles y los matorrales, Gretel le dijo a Hansel:

–Tengo miedo… Ni tú ni yo conocemos el bosque. Cuando queramos regresar a casa, no sabremos qué camino tomar.

–No te preocupes –le contestó su hermano–. Fíjate, lo tengo todo previsto…

Gretel observó cómo cada dos o tres pasos Hansel desmenuzaba un pan seco y tiraba las miguitas al suelo.

–Así queda marcado nuestro camino de regreso.

Cuando comenzó a oscurecer, los hermanos no habían encontrado nada de comida. De todos modos, Hansel le dijo a Gretel:

—Volvamos...

Pero no encontraron ninguna señal. Hansel y Gretel no se habían dado cuenta de que, a medida que dejaban las migajas, los pajaritos del bosque se las iban comiendo.

–¿Qué haremos ahora? –preguntó la niña–.
Mamá y papá estarán preocupados...

Hansel vio una cueva, cavada por unas ardillas,
y se dirigió con su hermana hacia allí.

–Allí nos protegeremos del frío y de la humedad
–dijo Hansel–. Mañana temprano, con la luz del
día, encontraremos el camino y volveremos con
papá y mamá.

–Bienvenidos –les dijo una ardilla muy amable
en la puerta de la cueva–. Pónganse cómodos,
están en su casa.

E invitó a los niños a comer unas nueces y unos
piñones riquísimos.

Al día siguiente, cargados de piñones y nueces para sus padres, Hansel y Gretel emprendieron el regreso a casa. Pero…

–¿Por dónde? –preguntó Gretel.

–Ya encontraremos el camino –le respondió Hansel, aunque él tampoco sabía por dónde.

Cansados de dar vueltas y vueltas, encontraron un ratón muy feo, que se ofreció a guiarlos.

Aunque tenía voz de falso, uñas largas y sucias y unos largos bigotes, los hermanos no tuvieron más remedio que seguirlo.

–Por aquí… Por aquí –les decía el ratón, riéndose para sus adentros.

Así llegaron los hermanos a un claro del bosque.

–Adelante… –les insistió el ratón–, adelante…

Frente a ellos había una casa como nunca habían visto. Las puertas eran de chocolate; las paredes, de turrón; la chimenea, de pan dulce; el techo, de hojaldre; las ventanas, de caramelo…

–¿Quién vive en esta casa maravillosa?

–El hada del bosque –contestó el ratón–. Ella les invitará a todo lo que les apetezca.

Pero, apenas entraron, oyeron cómo a sus espaldas el ratón cerraba de un golpe la puerta y le echaba doble llave.

De pronto, apareció una mujer horrible, la más fea que uno pueda imaginar. El mango de la escoba que movía no era más largo que su narizota cubierta de pelos.

–¿Tú eres el hada del bosque? –preguntaron los niños.

–Pobres inocentes –se burló la mujer–, ¡yo soy la bruja del bosque!

–¡Mi manjar preferido son los niños! –dijo la bruja, y lanzó una desagradable risotada.

Y la bruja, con ojos golosos, observó a los dos hermanos y agregó:

–Tú estás a punto –le dijo a Gretel–. En cambio, tú estás aún muy delgado. Mientras Hansel engorda, tú, Gretel, te encargarás de las tareas más duras de la casa.

Encerró a Hansel en una jaula y le dio a Gretel un balde y un trapo.

–Empieza por fregar el suelo.

Todos los días, la bruja se acercaba a la jaula donde estaba encerrado Hansel y comprobaba si había engordado.

–Enséñame tu dedito –le decía.

Hansel sacaba entre los barrotes un delgadito hueso de gallina que había encontrado en el fondo de la jaula. Así, engañándola, conseguía que pasasen los días.

Hasta que una mañana, cansada de esperar, la bruja exclamó:

–No importa, pequeño... Te comeré igual...

–¡Gretel! –chilló la bruja– ¡Enciende el horno!

La niña entendió que estaba en juego la vida de su hermano, y la de ella también.

¡La bruja estaba a punto de darse un gran banquete!

Gretel se aproximó al horno, abrió la tapa y dijo:

–No sé cómo se enciende, señora...

–¡Ignorante! –volvió a chillar la bruja–. Déjame a mí. Te enseñaré cómo se hace...

La bruja encendió una antorcha y se acercó al horno.

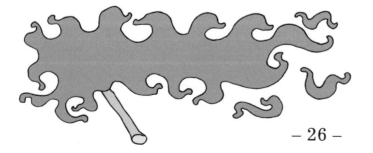

–¡Niña! –exclamó la bruja–. Toma la antorcha y entra en el horno.

–No sé cómo se entra… –dijo Gretel.

La bruja, fuera de sí, se asomó al interior del horno, al tiempo que gritaba:

–¡Así! Mete primero la antorcha, y luego, tu cabeza, y después, los hombros, y…

La bruja del bosque no pudo terminar su frase. Gretel le dio un empujón, la metió en el horno y cerró de un golpe la tapa.

Ni corta ni perezosa, Gretel se dirigió a la jaula y liberó a su hermano.

–¡Rápido! –gritó Hansel–. ¡Huyamos!

Los dos hermanos salieron rápidamente de la casita. Y cuando estaban a punto de internarse en el bosque, vieron cómo por la chimenea era expulsada por los aires la bruja de los bosques, que a duras penas lograba subirse en su escoba y huir despavorida.

–¡Me vengaré! –gritaba–. ¡Me vengaré!

Pero ya era un punto insignificante que se perdía en las alturas.

–¿Y ahora cómo volveremos a casa? –preguntó Gretel a Hansel, que tampoco tenía la respuesta.

–Yo les ayudaré –se oyó de pronto una voz.

Era el horrible ratón, que, de golpe, se había transformado en una hermosísima garza.

–La bruja del bosque me convirtió en un horrible ratón –dijo la garza–. Ahora que me han salvado de sus malas artes y maleficios, les podré conducir hasta la casa de sus padres. Pero antes…

–¿Antes qué? –preguntaron al unísono los niños.

–¡Ah! –respondió la garza–. ¡Una sorpresa!

La garza los condujo por un sendero muy especial. Iba volando de rama en rama, y los dos hermanos la seguían. En un recodo, se encontraron con una vieja amiga.

–¡Bienvenidos! –les dijo la ardilla–. En esta cueva que ya conocen os espera un regalo.

Al entrar, Hansel y Gretel encontraron un cofre lleno de monedas de oro y piedras preciosas.

–Con este tesoro tendrán comida para siempre –dijo la ardilla.

Hansel y Gretel no tuvieron que andar mucho para llegar a la casa de sus padres, que saltaron de alegría al reencontrarse con sus hijos.
Y cuando vieron el tesoro, exclamaron:

–¡Nunca más seremos pobres!

–En realidad, nunca lo han sido–les dijo la garza–, porque siempre han tenido el amor de sus hijos.

La garza levantó vuelo y se perdió en el bosque.

De vez en cuando, se oye un murmullo. Es la garza que vuelve de visita. Lo mismo hace la ardilla.

fin

Actividades

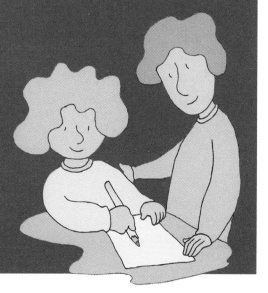

Busca las
diferencias

Estos dos dibujos parecen iguales, pero entre ellos hay cinco diferencias. Señálalas con un círculo en la ilustración de la derecha.

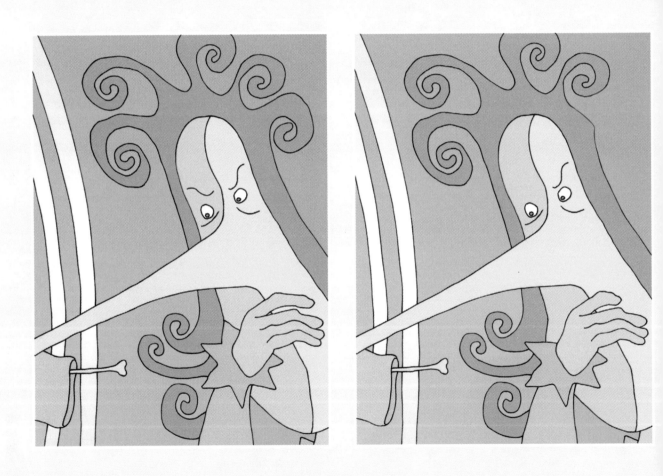

Palabras cruzadas

Escribe en las casillas correspondientes los nombres de los siguientes animales que aparecen en el cuento de *Hansel y Gretel*.

¿Recuerdas?

Lee atentamente estas preguntas relacionadas con el cuento y marca con una cruz la respuesta correcta.

(1) ¿Qué les da de comer la ardilla a Hansel y a Gretel?

☐ Flores del bosque.

☐ Frutos silvestres.

☐ Nueces y piñones.

(2) ¿Quién lleva a Hansel y a Gretel a la casa del bosque?

☐ Una ardilla.

☐ Un ratón.

☐ Una garza.

(3) En la jaula donde lo encierra la bruja, Hansel encuentra...

☐ Alpiste para los pajarillos del bosque.

☐ Migajas de pan

☐ Un hueso de gallina.

– 40 –

Ordena la historia

Numera las cuatro ilustraciones por el orden en que aparecen en el cuento.

Sopa de letras

Encuentra, en horizontal y en vertical, estas palabras del cuento: **CHOCOLATE**, **NUECES**, **CUEVA**, **HORNO** y **JAULA**.

N	G	R	D	I	T	L	S	T
H	R	C	O	P	E	A	Z	N
I	B	H	L	O	P	J	A	U
C	H	O	C	O	L	A	T	E
U	L	R	E	D	J	U	R	C
E	M	N	S	I	A	L	S	E
V	O	O	V	S	E	A	U	S
A	R	D	L	J	B	O	L	K

¡Vaya desorden!

Reconstruye las siguientes palabras que aparecen en el cuento, ordenando correctamente sus letras.

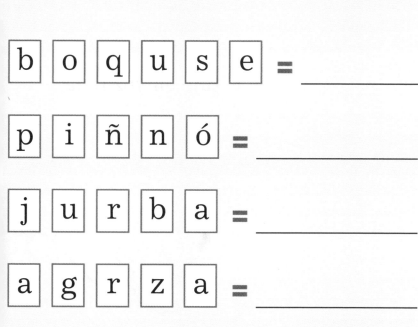

b o q u s e = _____

p i ñ n ó = _____

j u r b a = _____

a g r z a = _____

¿Sabías qué...?

La garza es un ave zancuda que vive en las orillas de ríos y pantanos. Se diferencia de otras aves porque tiene el pico y las patas muy largos.

Completa

Al copiar este fragmento de la página 8 han volado algunas palabras rebeldes. ¿Puedes volver a colocarlas en su sitio?

Al _____ , cuando el sol ya comenzaba a despuntar,

Hansel sacudió a Gretel _____ y le dijo en voz baja:

–Vístete y vamos...

–¿Dónde? –preguntó Gretel.

–Al _____ –le contestó Hansel–,

a buscar _____...

comida

amanecer

suavemente

bosque

Soluciones

■ Página 38

■ Página 39

■ Página 40

(1) Nueces y piñones. **(2)** Un ratón.
(3) Un hueso de gallina.

■ Página 41

De izquierda a derecha y de arriba
abajo: **2, 4, 1, 3**

■ Página 42

N	G	R	D	I	T	L	S	T
H	R	C	O	P	E	A	Z	N
I	B	H	L	O	P	J	A	U
C	H	O	C	O	L	A	T	E
U	L	R	E	D	J	U	R	C
E	M	N	S	I	A	L	S	E
V	O	O	V	S	E	A	U	S
A	R	D	L	J	B	O	L	K

■ Página 43

bosque, **piñón**, **bruja**, **garza**